잘부탁

Rino

황제의
외동딸

Daughter of the Emperor

# 황제의 외동딸

14

완결

만화 리노
원작 윤슬

D&C WEBTOON Biz

※카카오페이지에서 독점 연재된 '제230화~제244화' 편집본입니다.
※작가와의 협의에 의해 인지는 생략합니다.

Daughter of the Emperor

# 황제의 외동딸

만화 리노 원작 윤슬 14 완결

D&C WEBTOON Biz

Contents 14

# 황제의 외동딸

## 외전

# 체크메이트

황제의 외동딸

슥 슥
음…….
이제 조금만 더 손을 보면 되겠어.
…….
오랫동안 작업했던 그림의 완성을 눈앞에 두고 있는데…….
휴우우우.
아, 도저히 의욕이 안 나네.
나는 지금 갑자기 닥친 내 인생의 최대 위기에 속절없이 휘말리고 있다.

공주님.
그림이 잘 안 그려지세요?
아니, 뭐…….
공주님, 얼굴이……! 무슨 일이에요?
아무리 너라도 말해 줄 수 없는 고민이란다.
그림 그리는 것도 이제 햇수로 거의 이 년.
처음엔 많이 헤맸지만 하루 여섯 시간씩 미친 듯이 그려댔더니 이젠 어느 정도 사람을 그릴 수준까진 올라왔다.
그래, 그러니까 지금 고민은 그림 때문이 아니라…….
리비.
예?

나 그냥
콱 죽을까?
네?!
아하하.
공주님도 참,
무슨 농담을.
비웃지 마,
이 못된 시녀야.
이게 일린을
닮아 가나?
둘이 친하게
지낸다 싶더니……
안 좋은 것만
닮아가지고.
설마 아직도
그 일 가지고
신경 쓰고 계시는
거예요?
너라면 신경이
안 쓰이겠냐.
난 지금 죽겠다고.

별거
아니었잖아요.
버럭
네가
내 상황이 되어 봐.
그게 별게 아닌지
겪어 보라고!
접시 물에 코 박고
콱 죽어 버리고
싶다.
아…… 정말,
내가 아힌한테
왜 그랬을까?
후후,
공주님께선 어찌
그리 귀여우실까요.
이게 정말!
나 이제
스무 살이거든!
그런 말 듣기엔 너무
커 버리지 않았나?
네네, 그러니까
그만하시고 이제
준비하세요.
뭘?
잊으셨어요?
오늘 저녁에
파티 있다는 거.

파티……
파티?!
그 파티에 혹시…….
물론 아힌 예하도 오시죠.

아…… 망했구나.

얼마 전, 내 최대의 고민은 앞으로의 인생 계획이었다.
하고자 하는 건 주변의 도움을 받아 순조롭게 진행되고 있지만……
내가 앞으로 어떻게 살아야 할지는 쉽게 답이 나오지 않았으니까.
페르델에게 물어봐도
공주님 인생이니 스스로 해결하시지요.
이런 대답만 돌아오고…….

뭐든 공주님이 원하는 대로 하십시오.
아시시야 뭐, 언제나의 태도고.

아빠한테는……
왠지 물어볼 마음도 안 생기네.
아무튼 그런 상황에서 내게 한 줄기 빛이 되어 준 것은 바로 아힌이었다.
인생 계획 말인가요……?
음, 그럼 일단 하고 싶지 않은 것부터 제외해 보는 건 어떨까요?
좋은 생각인 것 같아.
그래서 며칠간 고민하며
절대 하고 싶지 않은 것의 리스트를 작성해 보았다.

일단 황제가 되는 건 싫어.
일이 많은 건 둘째 치고, 내가 이 거대한 아그리젠트라는 나라를 제대로 다스릴 수 있을지 자신이 없으니까.

그다음에 남은 건 평생 혼자 살거나 아니면 누군가랑 결혼하는 것인데…….
과연 결혼을 한다고 해도 지금 같은 생활을 유지할 수 있을까?

결혼이 싫은 건 아니지만, 나에게는 너무 먼 단어처럼 느껴진다고 해야 하나.

그러고 보니 우리 아빠도 솔로고, 아시시도 솔로고, 리비도 솔로고, 세르이라도…….

아, 그레시토는 결혼을 했구나.
이제 막 한 아이의 아빠가 된 그놈을 보면 내가 다 기분이 이상하다니까.

아니, 걘 왜 이렇게 결혼을 일찍 해서!

마음이 복잡해서 그랬는지 괜히 주변 사람들을 건드려 보고 싶었고,

그래서 나도 모르게
툭 뱉어 버리고 말았다.
아힌.
예?
그냥
스쳐 지나가는
농담처럼.
우리
결혼할래?
네?
툭
어……
어라?!
잠깐, 이건
내가 예상한
반응이 아닌데.

왜 하필이면
농담을 해도
아힌한테 한 거지?
아니,
그러니까…….
…….
으아아.
도저히
안 되겠다.
물끄럼
수습 불가야!
저 얼굴에 대고
사실은 농담이었다고
어떻게 말해?!
후다닥
그렇게,
굳어 있는 아힌을
내팽개치고
도망치고 말았던
것이다…….

황제의
외동딸

나 그냥
죽을까…….
다시 곱씹어 봐도
정말 답이 없구나.
그런데 어째서
갑자기 청혼을 할
생각을 하셨어요?
청혼
아니야!
청혼이었잖아요.
아니라니까!
아무리 부정해 봤자
안 믿겠지…….
이미 시녀들 사이에선
아주 파다하게
청혼을 한 걸로 도장 찍고,
결론까지 난 모양이니.
심지어
세르이라마저!
어머…
공주님이
청혼을요?
엄마가 어떻게
나한테 그래?
응?!

난 그냥 아힌을
좀 놀려 보고
싶었을 뿐이라고.
맨날 나만
놀림당하는 것
같아서.
그런데 막상
아힌이 놀라서
쳐다보니까
아무 말도
안 나오는 거
있지?
어머,
사랑이네.
사랑이야.
풋풋해요,
공주님.
이 인간들이
진짜!
아니라니까!
대체 얘네들은
어떻게 해야 내 말을
알아듣는 거야?

어떤 점에 반하셨어요?
어떤 매력에 푹 빠지신 걸까?
그럼 프레치아 황제는 이제 끝난 거예요?
어머, 가여워라.
가엾다면서 표정은 전혀 가엾다는 표정이 아닌데?
아무튼 오늘이 결전의 날이라 이거군요?
결전의 날?
앗, 그렇게 되는 건가요!
……대체 그 결전의 날이 뭔데?
자, 우리가 힘내서 공주님을 도와드려야 해.
좋아, 실력 발휘 좀 해 볼까?

아니야, 그게 뭐든
하지 말라고!
아무것도
할 필요 없어!
누가 나 좀
살려 줘……!
딱히 의도한 건
아니었지만
아힌과 나는 어쩌다 보니
매달 십오 일쯤에
만나고 있었다.

원래는 아그리젠트와
친선을 도모한다는 이유로
아힌이 매달
아그리젠트로 오는 걸
내가 환영한다는
의미에서 맞이하던
일정이었는데,
어째서인지 지금은
그냥 나랑만 만나는 걸로
굳어져 버렸다.
잘
지내셨나요?
저야 늘
잘 지내죠.

……뭔가 많이
이상한 것 같지만
그냥 넘어가고.
아무튼 그래서
처음엔 신변잡기로
주변 이야기를
했는데,
점점 깊이 있는
토론으로 가더니
어쩐지 매달 열리는
학술회 같은 느낌이
되어 버렸다.
결론은 할 말이 없어서
별 잡다한 말이
다 나오고 있다는
소리인데…….
여전하시네.
그래서
아빠랑 페르델이 또
한바탕했지, 뭐야.
그래도 종종
얼굴을 마주하니
좀 편해져서
반말을 할 수 있는
경지에 이른 것은
좋다 이거야.

문제는
그거다.
아힌이랑
가까워진 느낌은 나는데
도무지 친해지는 느낌이
들지 않는다는 것.
그래……
아무리 가까이 있어도
아힌이 여전히 묘하게
불편하다고나 할까.
발르나 산세랑
있을 때는 전혀
그런 게 없는데.
그렇다.
그때부터 이미
느끼고 있었지만
아힌과 나 사이엔 뭔가
넘을 수 없는 벽이
존재했던 것이다.
물론
지금 문제는 그게
아니지만.
아, 진짜
어떡하지?!
내가 지난주에 했던
망언을 생각하면
자다가도 발차기를
할 것만 같아!

난 그냥…
아힌과의 사이에 있는
그 벽을 좀 없애 보고자
농담 한마디 했던 건데.
아힌, 나랑
결혼할래?
예?
사태가
이 지경 이 꼴이
될 줄은…….
농담도
아무나 하는 게
아니라는 사실을
깨달았다는 점이
유일한 수확이었지.
침
울
깜 짝
공주님,
또 정신 놓고
계시죠?
응?
오늘 파티의
주최자가
공주님이세요.
잊으셨어요?
……안
잊었거든.
눈치 주긴.

귀족들이랑 인사하고 웃고 떠들고 할 수 있는 건 다 했단 말이야.
할 거 다 하고 이제 잠깐 쉬는 건데.
어머, 그래요?
그나저나 예하께서 안 오시네요.
……넌 그냥 나 놀리는 게 좋은 거지?
진짜 못됐어
설마요. 공주님 드시라고 이렇게 음식도 가져왔는걸요.
후후
그래. 이렇게 챙겨 주는 건 리비밖에 없네.
파티 준비한다고 제대로 식사도 못 해서 배고픈데.
그러고 보니 아빠는 밥 잘 챙겨 먹고 나갔으려나?

카이텔은 요새
사냥이라는 새로운
취미를 가지셨다.
딸이 그림 그린다고
놀아 주질 않으니
심심하다며
활을 잡은 건데,
놀랍게도 사냥에
소질이 엄청나셔서
사냥해 오는 족족 찬사가
끊이질 않는다고…….
공주님!
아, 이블린.
잘 지내셨어요?
그러고 보니 또
임신했다고 했지.

나보다 나이도 어린데
벌써 둘째까지
가졌다니…….
몸은 괜찮아?
여기까지 나와도
되는 거야?
어머, 그럼 누가
주최한 건데요.
우리 공주님께서
여는 파티가 일 년에
서너 번 있을까 말까인데,
제가 어떻게
이 파티를 빠져요?
기특해라.
그래,
내가 애 하나는
제대로 키웠어.
이 언니는 네가
자랑스럽단다.
딸은 어떡하고
혼자야?
음, 아마
그이가 보고 있지
않을까요?
본격
육아까지 돕는
남편인 건가!
시토라면
그럴 것 같긴
했지만……
아아,
장가간 내 친구가
벤츠라고 불리는 유형의
남자였다니!

나도 결혼할 거면
그런 남자랑
해야 하는데.
힘들 테니 이쪽으로 와서 좀 쉬자.
역시 공주님께서는 배려심도……!
찬양은 거기까지.
헤헷.
아참, 공주님. 그 소식은 들었어요.
무슨 소식?
아힌 예하께 청혼하셨다면서요?
왓 더 헬. 대체 이게 무슨 소리란 말인가.
언제…… 거기까지……?

축하드려요!
저는 아힌 예하께서
정말 공주님과
어울린다고 생각해요.
찬성이랍니다.
아니, 그런 거
아니라니까!
도대체 어디서
새어 나간 거야?
어디에서?!
역시 공주님은
공주님을 잘 외조하고
잘 받아 줄 수 있는
남자랑 결혼하시는 게
맞는 것 같아요.
제 남편처럼
자상한 사람
말이에요.
그 와중에도
깨알 같은
남편 자랑…….
마음 같아선
커플 타도를
외치고 싶지만.
뭐, 그레시토가
좀 괜찮은 남자인 건
나도 인정하는
바이니까.
공주님,
앞이요.
툭
응?

앞이라니…….

제가 좀 많이 늦었나요?
아아…… 눈이 부셔.
어째 이 인간은 날이 갈수록 더 멋있어지냐고?!
원래 밑바탕도 잘생겼는데 진화하는 잘생김이라니.
이건 반칙이야!

아니요.
제때 오셨습니다.
어서 오세요.
…….
대체 이다음엔
무슨 말을 해야
하는 걸까.
그냥 기절해
버리고 싶지만
쉽지 않네……
날씨 얘기?
아, 밤이라서 그건
좀 이상하려나.
지난 일주일간
어떻게
지내셨나요?
아니지, 아니야.
이걸 물어보면 분명
그 이야기가 빠지지 않고
나올 거야.
아, 그럼 대체
무슨 말을……!
그럼 전
이만.
사뿐
어? 뭐야.
가려고?

공주님,
파이팅!
파이팅은
뭔 놈의
파이팅!
나 혼자
어쩌라고!
…….
와……
이게 뭐야?
어색해서
죽을 것 같다는 게
바로 이런
거였구나…….
…….
오랜만에
뵙네요.
네,
오랜만에…….
왜인지 저 말에서
뼈가 느껴지는 건
나만의 착각일까?

불편하십니까?
화들짝
예?!
아니요.
절대 아닌데요.
안 불편해요! 하나도!
그런가요…….
뭐지?
왠지 서운해
보여.
호, 혹시
상처받은 건가.
난 그러려던 게
아니었는데.

저에게
하대하지 않고
존대를 하는데도?
그, 그건
공식적인
자리니까!
정말요?
끙…….
예리한 놈.
정말 쉽게 넘어갈
수가 없다니까.
말이 막히니
쉽게 이 상황을 타개할
화제가 떠오르지 않네.
이제 내가 왜
아힌에게 쩔쩔매는지
그 이유도
알고 있는데!
뭐, 그렇다고
아힌에 대해 면역이
생기거나 그런 건
아니지만…….
드릴 말씀이
있습니다.

한 이 주간
아그리젠트에
머물 생각입니다.
응?
어, 정말?
이 주나
아그리젠트에?
예.
성황의 후계자가
그래도 되는 건가?
아니, 이런
의문을 갖기엔
너무 늦은 감이
있긴 한데.
뭐, 괜찮은가
보지.
그래서
본격적으로 고민
좀 해 보려고요.
무엇을?

공주님한테 받은
청혼에 대해서요.
?!
하……
그렇게 눈부시게
미소 지어도 전혀
달갑지 않거든.
잊어 줄래?
싫은데.
와, 뭘 먹고
그렇게
단호하세요.
단호박이세요?
그나저나
그날의 흑역사를
다시 떠올리니 영혼이
은하계로 빠져나가는
기분인데……
대체 이 사태를
어쩌면
좋단 말이냐!

황제의
외동딸

그럼
내일 뵙겠습니다,
공주님.
으으…….
네……
가세요, 예하.
싱긋
헉.
저 웃는
얼굴을 보니 어째
오한이 드는데.
기분 탓인가?
기분 탓이겠지?!
오후의 정원.
오랜만에 맞는
평화로운
나날이지만……

내 머릿속은
여전히
전쟁 중이다.
맛있는 홍차와
스콘을 먹고 있는데
왜 이렇게
심란한 건지.
표정이
왜 그래?
누나 심각하다.
건드리지 마라,
발토르타.
…….
빤-!
얼굴 좀 펴.
그러다 주름 생기면
더 못생겨진다?
콕 콕
이게 진짜!
죽을래?

난 누나가 왜 그러는지 알아!
응?
아힌 형 때문에 그러는 거지?
……오데우르 얘는 또 그걸 어떻게 알았대?
…….
스윽
연애가 싫어?
결혼이 싫은 거야?
하카까지 합세했네.
으음.

연애가 싫냐고?
결혼이 싫냐고?
몰라……
좋은 건지 싫은 건지
구분이 안 가.
내 마음인데,
왜 내가
모르는 걸까.
그럼
아힌 형이
싫어?
아니.
뭐야,
그럼 해결됐네,
그냥 둘이
결혼하면 되잖아.
탁
그게
말처럼 쉽니?
이 꼬맹이야.
결혼이라는 게
번갯불에 콩 구워 먹듯
할 수 있는 것도 아니고,
준비해야 하는 것도 많고.
무엇보다
아직 난 마음의
준비 자체가 되어
있지 않다고.

전생 통틀어
연애 경험이 거의
없는 게 문제인가?
그런 건
아닐 것 같은데……
무엇보다 아힌이
싫은 게 아니니까.
누나야, 아힌 형이
누나 보려고 매달
스헤르토헨보스에서
여기까지 와 주잖아.
솔직히
그 정도 정성이면
넘어가 줘야
하는 거 아니야?
그러게 말이야.
형이 불쌍해.
이 어린이들이
쌍으로
왜 이러실까?!
하카, 오데우르,
그만해.
그러다 산세 운다.
어? 산세 형은
이미 탈락
아니었어?
맞아. 이미
광탈했던데.
무, 무슨
소리를……!

지켜 주지 못해서
미안해, 산세…….
아무튼
이놈의 요망한
비테르보 형제들.
어째
아래로 내려갈수록
더 요망해지는
것 같다?
특히 오데우르 저건
발르보다 더 심한…….
공주님.
응?
예하께서 오늘
못 오실 것 같다고
합니다.
아…….
안 봐도 된다는 안도감과
동시에 드는 아쉬움.
이 상반된 감정들을
뭐라고 이름 붙여야
하는 걸까.
잘 모르겠지만
그래도 제대로
마주해 봐야겠다는
생각이 든다.
이 마음이 어떤 건지
가장 알고 싶은 건
다름 아닌 나니까.

언제까지 이렇게 질질 끌 수도 없는 노릇이고…….
그래도 다행이다, 누나.
맞아.
응? 뭐가?
누나가 아힌 형의 진면목을 모르니까.
??
이건 또 무슨 소리래?
지난 이 년가량 꾸준히 마주친 결과 아힌에게서 알아낸 사실이 몇 가지 있는데,
일단 아힌은 자기 자신에게 주어진 의무를 외면하지도 싫어하지도 않는다.
문제는 좋아하는 것 같지도 않다는 거지만.

어쨌든
자신의 의무를
겸허하게
이행하고 있으니
완벽하다는
평가에는 이견이
없는 모양이었다.
그 어린 나이에
성황의 후계자가
되었음에도,
어린아이가 받기엔
지나칠 정도로 힘든
그 수업을
전부 소화하고도
그 이상을
해냈다고 하니까.
페르델의 누나인
레이디 지블리테가
왜 아힌을 데리고
아그리젠트로 도망쳐
왔는지……
이해가 되는
대목이랄까.
성황의
후계자란,
신의 대리인이자
스헤르토헨보스의
절대자.

그렇기에
누구보다 신에
가까운 자를 뽑으며,
완벽의 완벽에 가까운
교육을 전부 받아야만
그 자리를 이을 수 있는
자격이 생긴다.
그렇게
애를 굴리는데
도망간 애는
없대?
있겠지.
형이
유별난 거지
전부
도망쳤다던데.
그래서였나,
자꾸 아힌이
안쓰러웠던 건.
뭐랄까……
항상 참는다는
느낌이 있었어.
참을 수 있는 건 그냥
전부 참아 버리는
그런 느낌.

근데 넌 왜
연습 안 가고
여기 있어?
구경하려고.
이건 또
무슨 소리래.
무슨 구경?
아힌 형한테
쩔쩔매는
리아의 모습?
흣
이게
죽고 싶나!!
가 버려,
이 못된 놈아!!
벌
떡
아이고,
무서워라.
형한테 차여라,
이 못된 마녀!
저게 진짜!

어휴, 쟤는 진짜
누가 데려갈지
모르겠어.
저 녀석을
데려가는 사람은
성녀 아니면
발르 못지않은
비글일 듯.
뭐 하십니까?
아……!
아힌!
어서 와.
기다리고 있었어.
그것참
영광인데요.
진짜데.
알아요.
하, 마음이 다
훈훈해지는구나.
역시 난 아힌의
미소가 좋은가 봐.

# 황제의
# 외동딸

샤랑~
와,
맛있겠다!
신선한 과일과
바삭한 파이의 조화가
환상적이야!
음-
역시 우리 파티셰가
한 실력 한단 말이지.
아힌도
빨리 먹어 봐.
진짜 맛있다.
…….
이 휘낭시에도
상큼한 맛이
일품…….
응?

왜 그렇게 봐?
너무 빤히 쳐다보니까 먹는 것도 눈치 보이잖아.
설마 내가 맛있는 부위만 먹어 치우는 걸 들킨 걸까.
예뻐서.
!?
…….
툭
가, 갑자기 뭐라는 거야!
홱
사람 부끄럽게.

그 와중에
저 예쁜 미소는
또 뭐람.
새삼 반할 것
같습니다만…….
아, 그래.
인정한다.
내가 아힌을
정말정말 좋아하고
있다는 걸.
이렇게 좋은데
어떻게
숨기겠어?
저기,
있잖아.
내 청혼
말인데, 그거.
안 물러 줄
건데요.

이럴 줄 알았어. 내 이럴 줄 알았다고!
하지만 뭐라고 할 수 없는 게
아힌은 한번 이렇다고 정한 건 좀처럼 바꿔 주지 않으니까.
저 인간, 체스 게임에서도 물러 주지 않는단 말이야.
무엇보다 무려 이 년 동안이나 나를 기다려 줬고…….
후, 이를 어찌한다.
그래도 일단 할 말은 해야지.
나 아직 겨, 결혼할 마음의 준비가 덜됐단 말이야.
추우욱

일단 결혼은
한다는 거지,
그럼?
어?
앗..
말이 그렇게
되는 건가?
쿡
쿡
아, 아힌이 저렇게
즐거운 듯이 웃는 건
희귀한 장면인데.
왠지
흐뭇한걸……
……가
아니라!
웃지 마!

아, 나도
모르게.
비웃지 말라고,
이 나쁜 놈아!
그래, 그래.
처음 만났을 때만 해도
아힌의 이런 모습은
상상도 못 했거늘.
있잖아.
아힌은 언제부터
내가 좋아지기
시작한 거야?
비밀인데.
이 인간,
이렇게 치사한
인간이었나.
그냥 좀
말해 주면
덧나냐고?
……음.
사실은…….
사실은?

너를
처음 본 날부터
좋았어.
뭐……?
그런 말
처음 들어.
우리가
만났던 게……
내가 열 살,
네가 일곱 살 때
일이야.
와, 엄청
어릴 때네.
그래.
근데
내 어떤 모습이
좋았던 거야?
궁금해.

어머니께선 내가
성황의 후계자가 되는 걸
원치 않으셨고,
주변 사람들은 모두가
그걸 원했거든.
난 그때
성황의 후계자로
내정되어
있었는데…
여러모로
고민이 많은
시기였어.
어머님의 말씀에
따라야 하나,
나를 원하는 자리에
가야 하나.
모두가
내가 원하는 대로
하라고 했지만,
그래서 더
어떻게 해야 할지
감도 잡지 못했지.
그러고
있을 때……

네가
나타났어.
내가
뭘 했어?
응.
공주로서
훌륭하게 처신하고,
우아했지.
어린 나이인데
당찬 모습이
마음에 남았어.

그건 내가
보통 어린애랑은
상황이
달랐으니까…….
있는 그대로
말할 수는
없지만.
너를
닮고 싶었어.
으아…….
뺨이
달아오르는 게
느껴져.

아힌의 눈빛에,
목소리에,
심장이
터질 것처럼
두근거려서…….

보지 마.
부끄러워 죽을 거
같단 말이야.
싱긋
참을게.
어?
막상 그건 또
싫어…….
내가
왜 이러지.
……참지 마.

정말?
감당할 수
있겠어?
아니, 그렇게 말하면
그건 또 나름대로
문제인 듯한데.
그건……
자신 없지만…….
시잇
체크메이트.
무르기는
없습니다.

체크메이트
라니…….
끄덕
이거 체스
아닌데.
저기…
근데 나 진짜
마음의 준비가
덜됐어.
기다려 줄게.
참는 거 하나는
자신 있으니까.
…….

……안 참아도
된다니까.
정말이지
당해 낼 수가 없어.
그래.
어쩔 수
없으려나.
그 옛날,
처음 본 순간부터
나는 아힌에게
약했으니까…….

외전

# 당신의 그늘에서

황제의
외동딸

문제의 시작은
촤악
스헤르토헨보스에서
청혼장이
날아오고부터였다.
웅성
웅성
부들
부들
어디서 감히
주제넘은
짓을…….
으음.
내 이럴 줄
알았지.

아빠.
뭐냐.
자, 여기
새 청혼장.
미리
챙겨 놨지.
……….
싸
늘
말똥
말똥

…….
…….
공주님, 이 실크는 어떠세요?
드레스에는 전체적으로 보석 장식을 넣는 게 좋겠어요.
두툼!
디자인은 이 중에서 고르시고요.
아, 티아라는 이거 어떨까요?
결혼식이니 좀 더 화려해도 좋을 것 같은데.
공주님은 뭐든 다 잘 어울리시니 고르기가 쉽지 않네.
다들 아주 신났구나.
이 사람들, 나 결혼 안 하면 어쩔 뻔했대?

물론 처음부터 이렇게
물 흐르듯 매끄럽게
결혼식 준비를 할 수
있었던 건 아니었다.
카이텔은
내가 다시 내민
새 청혼서를 보고
잠시 동요하는
기색을 보였지만
그날은 난리도
아니었으니까.
그것마저도
망설임 없이
찢어 버렸고.
촤악
절대
결혼시키지
않을 거다!
당당하게
선언했다.
그런 놈팡이랑은
당장 헤어져라!

나 또
가출할 거야.
좋아, 그렇게
나온단 말이지?
이 정도는
예상했다고.
……!
동공 지진
안 돼.
정색
방금 동요한 거
다 들켰거든요.

아빠 다신
안 볼 거야.
움찔
역시.
비록 대놓고 나를
찾아다니지는 않아도
아침, 점심, 저녁, 이렇게
세 번 이상을 보지 못하면
난리가 나는데
아빠가 그걸
견딜 수
있을 리가 없지.
안 된다고
했다.
동
그래,
여기까지 왔으면
마지막 승부수다.

아빠 없이
결혼할 거야!
콰
과광
어떻게
이 아빠 없이 결혼을
한다고…….
딸아이
예쁘게 키워 봤자
소용없다더니……
그렇게
내 최후통첩에
무너져 내린
카이텔은……
…….

결국 울며 겨자 먹기로
결혼을 허락하게 된
것이었다.
HAPPY
WEDDING

쏴아아-
쾅
쾅
쾅
하암~
아니, 이 밤에
누구야.
끼이익
두둥
헉!

쏴아아
술 가져와.
그만 놈팡이가
감히
내 따님을……!
부들
부들
파삭

그 말
한 번만 더 하면
백 번이다?
카이텔.
어쩌겠어,
이미
허락했다면서.
그러니까
우리 집 컵 좀
그만 깨.
아시시를 좀
본받으라고.
오랫동안
애지중지한 공주님이
결혼한다는데도
저렇게 의연……
음
칫
하지
않구나?!
참 나,
그렇게들 힘들면
끝까지 못 하게
막지 그랬냐.

콰앙
꽈저적
악, 우리 집
테이블!
내가 없어도
결혼을
하겠다잖아.
하나밖에 없는
딸이 나 없이
결혼하겠다고…….
누가
말했던가.
딸바보가 맞이하는
결말에는
결국 이런
디쓴 패배 외엔
없다는 것을.
천하의 카이텔이
이렇게
무너지다니.
괜찮아, 카이텔!
누구나 한 번씩
다 겪는 거다!
꺼져!
공주님…….
그렇게
두 남자의 슬픔을
뒤로 한 채
결혼식은
거국적으로
진행되기 시작했다.

황제의
외동딸

제국민들의 사랑을
한 몸에 받고 있는
아리아드나 공주.
그 공주의
느닷없는 국혼 소식에
온 나라가 들썩이며
환영의 물결이 일었다.
하지만
마지막까지 포기가
안 되는 한 사람이
있었으니…….
불편
황제 폐하께
정식으로
인사드립니다.

부글
부글
저딴 놈이
감히 내 따님을
채 가다니.
마침 리아도 옆에
없겠다, 생각 같아선
다 엎어 버리고
싶지만.
화르르
이 결혼은
무효다.
당장 꺼져!
하지만
그랬다가는…….
아빠 다신
안 볼 거야!
큿-
젠장.
긴말은 않겠다.

첩 들여도
사형.
스윽
내 딸 울려도
사형.
뚜벅
뚜벅
손에 물 묻혀도
사형.
내 딸 구박해도
사형이다!

……….
그리고 만약
내가 말한 것 중에서
하나라도 실제로 벌어질 시
생지옥이 뭔지를
보여 주마.
물론 스헤르토헨보스도
프레치아의 전철을
밟게 될 것이라는 점만은
명심해 두도록.
……음.
질문이 하나
있습니다.
뭔데.

손에 물을 묻히면
사형이라 하셨는데,
그래도 애는 씻겨야
할 것 아닙니까?
흠…….
심각
그래, 씻을 때
물이 닿는 건
인정해 주마.
그 무렵 리아.
……둘이
무슨 얘길 하고
있으려나.
설마 유치하게
쓸데없는 협박이나
하는 건 아니겠지.
있을 법해.

……하면
사형.
~해도
사형!
사형!
…….
카이텔을 아주
잘 파악하고 있는
리아였다.
뚜웅
…….
휙
쳇.
어휴.
완전 삐쳤네.

일단 다독여
줘야겠지.
아빠, 너무
서운해하지 마.
내가 자주 보러
올게. 응?
언제?
응?
언제
올 건데.
어…….
언제?
그, 글쎄.
언제
온다는 건지
확실히 말해라.
…….
빈말이었는데.
차마
그렇게 말하진
못하겠고…….

어, 언젠가……?
길에서
오랜만에 만난
사람한테
나중에 밥 한 끼
같이 먹자고 던지는
말이랑 같은 거
아니냐고!
아니, 보통
이럴 때 하는 말은
다 빈말 아냐?
정확히 언제.
아니, 그걸
지금 여기에서
정해야 하는
거야?!
힐끔
어……
그러니까.
외
면
이런 썩을!
그러니까
결혼하고 한
한두 달 후쯤?
늦어.
그럼
일주일 후?
늦어.

……그럼 한
사흘 정도 후?
늦어.
그럼 한
이틀 뒤에
한번 들를게.
늦어.
대체
어쩌라고?!
버럭
그럼 아빠가
원하는 날은
언젠데?
그다음 날.
이 인간이?
절레
절레
그다음 날에 오는 건
현실적으로 무리야.
어떻게 해도
무리라고.
결혼하고
스헤르토헨보스에 갔다가
바로 되돌아오라는
소리잖아?!
아무리 그래도
시댁 식구들이랑
얼굴 익힐 시간은
줘야지!

안 돼.
사흘 뒤쯤 아니면
다신 안 와.
……!
끙
언제까지
머물다 갈 건데?
어…….
으음…….
어느 정도의
기간을 불러야
이놈의 아버지가
마음에 들어 하실까.
한 일주일쯤?
짧아.
일주일이 짧다니.
방금은 일주일쯤 뒤에
온다니까 늦는다고
뭐라고 해 놓고선.
그럼 한 달?
너무 짧아.
한 달이
짧다고?

어…… 그럼
한 이 개월?
눈 깜빡하면
지나가겠네.
허어…….
그럼 어느 정도를
원하는 거야,
아빠?
삼십 년.
…….
……그래,
이제야 좀
납득이 되네.
삼십 년에 비한다면
두 달도, 일주일도
짧은 게 당연하겠지.
하지만 그렇다고
삼십 년을 머물러
줄 수는 없잖아?
응,
한 삼십 일 정도
있을게.

벌떡
그렇게는
안……
부릅
……!
긋
버럭
야, 너.
리아를 두고
너 혼자
돌아가라.
싫은데요,
장인어른.
!!

네가 지금
개기냐?
빠직
아빠!
움찔
두둥
우리 남편
협박하지 마.
알았어?
아직 결혼도
안 했는데……
충격
벌써부터
우리 남편이라니.

……됐다.
응?
딸 키워 봤자 소용없어.
시무룩
뭐야, 아빠답지 않게 약한 모습을 보이고.
괜히 미안해지게.
그래, 내가 양보할 테니 삼십 일보다 조금 더 머무르도록.
얼마나?
십 년쯤으로 만족하지.
이 아빠가 진짜?!
미안하다고 생각한 내가 바보지!

황제의
외동딸

황제의
외동딸

가장 큰일이었던
상견례를 마치고
안심하기도 잠시,
본격적인 결혼식
준비에 들어가면서
눈코 뜰 새 없이
바빠지기 시작했다.
와, 결혼식
준비하는 게
보통 일이 아니구나.
일단 살 집부터
시작해서 혼수,
그 외 이것저것
생각하고
정해야 하는 게
너무 많아.
하긴, 그냥 귀족끼리
결혼하는 것도
준비 과정이 정말
복잡하다던데.
이번 혼사는
무려 국혼이니까
어떻게 보면 당연한
일이겠지.
르이라와 시르비아의
전폭적인 도움을
받고 있긴 하지만,
그래도 나 혼자서
감당해야 하는 것도
상당히 많으니까.
황실에
어른이 안 계시다는 게
이럴 때는 불편하다는 걸
이번 기회로
깨달았어.

그래, 그동안은
깨달을 기회도
없었는데 말이지…….
아.
아빠다.
아빠가 여긴
웬일이야?
산책 나왔어.
…….
아무리
내가 둔하다지만
그건 좀 아닌 것
같습니다, 아버지
뜬금없이
이 시간에 여기까지
산책이라니.

으음……
어쩌지.
아직 할 일이
많긴 한데.
빤-
아무래도
나 보고 싶다고
나온 것 같고.
그래, 어차피
저렇게
쳐다보고 있으면
일도 못 하니까.
탁
아빠!
우리
데이트할래?
데이트?
응.

자, 산책 갑시다!
내가 아장아장 걸을 무렵부터 다니기 시작한 산책길.
애기였을 때 한 번 겨울에 산책을 했다가 감기에 걸려 고생한 이후로는
절대 겨울에는 얇은 옷차림으로 나오지 않았지만……
그때만 제외하고는 거의 매일 이 길을 걸었었지.

날씨 좋다.
그치, 아빠?
…….
날씨가 이렇게나 좋은데.
우리 아빠는
가 그렇게 아까워서
만 쳐다보고 있을까?
응?
자꾸 영원히 헤어지는 사람처럼 구는 카이텔이
내 마음을 어지럽게 한다.

아빠.
결혼한다고 해서
영원히 가는 건
아니야.
결혼해 본
경험이 있었다면
좋았을걸.
이럴 때면 그런 생각이
들기도 한다.
응?
나에게도 처음이고,
아빠에게도 생전
처음 있는 일.
딸을 가진 아빠는
다 이렇게
되어 버리는 걸까.
…….

꼬옥
난 언제까지나
아빠 딸이니까.
시집간다고 해서
그 사실이 변하는 건
아니야.
진짜
자주 올 거야.
약속할게.

언제?
몇 월, 몇 시,
몇 분, 몇 초에
오는 건데?
어?
…….
아, 이 징한
인간.
약속 안 지키면
내가 쳐들어갈
줄 알아.
아빠,
그건 좀!
전쟁이라도
일으킬 셈이야?!
그래… 이래야
우리 아빠지.
아힌이랑
상의해 볼게.

외전

# 아침에 내리는 햇살처럼

황제의
외동딸

특정한 누군가와
매일 함께 잠이 들고,
아침에 같이
눈을 뜬다는 건……
내 인생에
평생 없을 일이라
생각했다.
누군가가 옆에 있으면
잠도 자지 못하는
예민한 신경 탓도
있었지만,
애초에 누군가를
옆에 둔다는 걸
상상조차 못 했기에.
그건 황제가 되어서도
똑같았다.
카이텔, 잠 좀
자지그래?
신경 꺼.

네 성격이 더러운 건 다 수면 부족 때문 아니냐?
널 보면 인간의 숙면이 얼마나 중요한지를 깨닫게 된다니까.
꺼져.
사실 잠이 부족하다는 자각은 있지만.
어떻게 해도 쉽게 잠들 수가 없다.
전쟁터에서 구르던 버릇이 몸에 배어
스스로에게 깊은 잠을 허락하지 않는 것도 있고,
드란스테가 멋대로 살려 놓은 그날 이후……
눈만 감으면 불타오르는 궁이 아른거렸다.

그리고 불타는 궁에는
언제나 나 혼자만이
남겨져 있다.
그 악몽에 지쳐
눈을 뜨면
아직도 밤.
다시 그 꿈을
꾸고 싶지 않아서
뜬눈으로
밤을 새웠다.
드란스테,
그 자식이 장난처럼
전쟁터에 던져 놓고
갔을 때도……
몸을 한계까지
혹사시키고 나서
기절하듯 잠들었다가
얼마 못 가
깨어나곤 했는데,
그건 항상
꿈을 훔쳐보는
드란스테 때문에
더 그랬다.

열네 살부터 시작된
떠돌이 생활.

하루하루 살아남는 것조차
하나의 기적처럼
그렇게 살아남았다.

아시시도 그렇고
둘 다 수면 부족이야.
왜 그렇게 잠을
못 자고 그래?
…….
황제가 되고 나서도
불면증은 여전했고,
그건
페르델이 걱정하는
그 녀석 또한
마찬가지였다.


황제의 정부로
이 나라를 손에 쥐고
주무르던 어머니.

정신을 놓고
아들까지 죽이려 한
아버지.

그 모든 것에
상처투성이가
되면서도
'제가 제 죗값을
달게 받으면 저를
죽여 주십시오.'
결국
사랑받지 못했다는
사실 하나가 아시시를
괴롭게 했다.
남는 건
삶에 대한 염증과
지독하게 밀려오는
회의감.
그 녀석도
나도……
이렇게밖에
살지 못하는
것인가.
고작
이렇게 살려고
살아남은 것인가.
하루하루
숨 쉬는 것조차
무의미한 날들.
딱히 그런 현실에서
벗어나려는 생각조차
하지 않은 채
계속해서
잠들지 못하는
나날을 이어 갔다.

그 아이가
오기 전까진.
바바바!
뭐라는지
모르겠군.
어떤 특별한
이유가 있었던 것은
아니다.
나만 보면 우는
여느 아기들과는 달리
울지도 않고
까르르
이쪽을 빤히 바라보며
방긋거리는 모습에
흥미가 생겼을 뿐.
어미조차 없이
홀로 남은 공주.

내가 아버지라는 사실이
오히려 이 아이에겐
저주와도 같겠지.
살려 줄 생각도,
키울 생각도
없었다.
분명 그랬는데……
아이는 어느새 내 딸로
공고히 제 자리를
다져 나갔다.
치 아침 햇살이
스며들듯,
그렇게
소리 없이.
딱히 무얼 하지 않아도
내가 아빠라는 걸
알아보는 게 신기해서
자주 찾아갔다.

그냥 신기함
그 자체였다.
시선과 생각이
아이에게
매여 버렸다.
그리고 어느새,
애정이라
부를 만한 것도
생겼던 것 같다.
그쯤이었던가.
지치지 않아도
잠들 수
있었던 것이.
아이를 가만히
지켜보고 있노라면
전혀 심심하지
않았다.
아이의 표정,
움직임.
모든 게
흥미로웠기에

깜빡
전쟁터에서 하루 종일 구르고 나서야 간신히 잠들곤 했던 몸이……
이 아이 옆에만 있으면 긴장이 풀리면서
놀라울 정도로 편안하게 잠들 수 있었다.
아…… 어느새 잠들었었나.
아침까지는 아니더라도,
단 몇 시간만이라도 제대로 된 잠을 잔다는 건 내겐 기적과도 같은 일이었다.

그래서였을까.
단순히 며칠만 침실에 두려던 것이 그렇게 몇 년이 되도록 이어진 것은.
졸려.
빼꼼
아빠는 안 자?
기지도 못했던 것이 어느새 걸어 다닌다.
잘 거야.
헤헤.
무언가를 잡아야 간신히 일어나던 아이가 이젠 제대로 된 말을 할 수가 있다.

며칠이 가건
몇 달이 지나건
아빠!
여기, 여기.
매 순간이 의미 없는
나날이었는데.
그래.
피식
아이를 키운다는 건
하루 단위로 매일이
달라지는 일이었다.
요새 아시시는
잘 지내나?
어?
음……
잘 지낼걸?

뭐지,
그 애매한
대답은?
헤헷.
만약 이 아이 옆에
나밖에 없었다면
이렇게 사랑스럽게
자라날 수 있었을까.
그렇지
않았겠지.
넌 내 딸이지만
꼭 내 딸이라고
할 수는 없겠군.
딸이 아니면?
아들이야?
나 아들
아닌데.
......
말을 말자.
어린애 데리고
무슨 말을 하겠다고.

아참, 아빠.
아시시 말이야.
원래 그렇게
눈물이 많아?
모르겠는데.
아빠가 모르면
누가 알아?
아시시 걱정된단
말이야.
그래도
나아진 것
같던데.
그래, 죽기만을
기다리던
그때보단 지금이
훨씬 낫지.
원하는 것이 있어도
원한다고 소리 내서
말하지 않고 꼭꼭
숨기기만 하던 녀석이
'공주님의
기사가 되게
해 주십시오.'
처음으로 원하는 것이
생겼다고 말했을 때는,
내심 다행이라
생각했었다.
그 녀석,
달라진 게
없나?
달라진 거?

좋다거나 싫다거나 자기 생각을 말하게 되지 않았냐는 말이다.
아, 음…….
아니, 전이랑 똑같은데.
내가 보기엔 많이 달라진 것 같은데 리아의 입장에선 아닌가.
아빠는?
뭐가.
아빠도 좋으면 좋다고 말해?
…….

뭐라 말을 해야
하는 걸까.
……글쎄.
쭈우욱
?!
아야!
…….
그래도 표정이
시시각각 바뀌는 게
재미있지만.
울 거야?
안 울어!
불끈
퉁
그렁
그렁
웬만하면 이렇게까지
격하게 반응하지 않는데
정말 아팠나 보군.

이미 눈에는
눈물이
그렁그렁한데.
안 울 거야,
그래도.
너무
눈물을 참으면
안 좋은데.
항상 참기만 하는
누군가가
떠오르는군.
울어도 돼.
혼내지 않을
테니까.
정말?
그래.
진짜로?
응.

방긋
숨을 잇는 것조차
힘겨워하던 녀석이
너를 보며
웃는 법을 배운다.
한없이 천진한
이 미소가 그 녀석을
변화시키는 것일까.
아니, 어쩌면
그 녀석뿐만
아니라……

나 역시
이 아이로 인해
무언가 바뀌어 가고
있는 것일지도
모르겠다.
폐하, 시간이
다 되었습니다.
지금 가지.
뚜벅
오랜만에
옛날 생각에
빠져 있었군.

세월이 벌써
이렇게 흘렀다니.
뚜벅
뚜벅
언제나 그 자리에
있을 줄 알았다.
아이가 서서히
자라나는 모습을
보면서도,
그럼에도
변하는 것은 아무것도
없을 거라고.
하지만……
끼
익
나도 모르는 새
아이는 이미

내 품을 떠날
준비가 되어
있었던 걸까.
아빠!
그럼에도 웃으며
너를 떠나보낼 수
있는 건.

네가 어디에 있든
누구와 함께하든,
단 하나뿐인
나의 딸이라는 사실은
변하지 않을 것이기에.

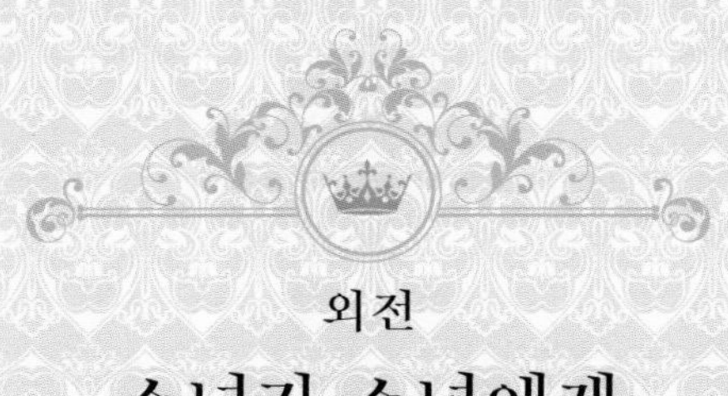

외전

# 소녀가 소년에게

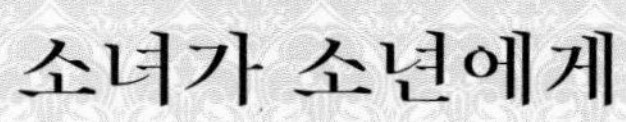

황제의
외동딸

안녕하세요,
시르비아입니다.
저는 아퀼레이아가의
장남 레이몬드 후작과
티니아 공주 사이에서
태어났어요.
당시 두 분의 결합은
웬만한 가문은
가볍게 무시해도 될
정도로 대단했죠.
하지만 지리상 아퀼레이아 가문은
중앙 정치와는 거리가 멀었고,
저는 다섯 살 때까지 영지에서
살아야 했답니다.
각종 희귀한 보석이 많이 나는
부유한 영지라 가지고 싶은 건
마음껏 가지고 남부러울 것 없이
지낼 수 있었지만요.
나도 친구가
갖고 싶어.
딱 한 가지가
채워지지 않았어요.
아퀼레이아 영지는
워낙 외지라 안타깝게도
제 신분에 맞는 친구를
구하기 어려웠거든요.
시르비아 님,
오늘은 저랑
놀아요.
응…….
유모와 시녀들이
놀아 주긴 했어도
뭔가 아쉬운 마음은
가시지 않았죠.

그러던 어느 날,
우리 가족이
황도로 이사를 오게
된 거예요!
자세한 사정은 모르지만
이반 황제의 간절한 청에
여동생인 어머니의 마음이
돌아선 것이란 사실 하나는
알고 있답니다.
황도엔
내 또래 아이들이
아주 많이 있겠지?
그럼 나도 친구가
생기지 않을까?
저 아이들이
모두 네
사촌이란다.
……!
세상에!
황궁에 있는
이 수많은 아이들이
전부 사촌이라니?
그런데 조금
이상했어요.

그 아이들은
딱 두 부류로
나뉘었죠.
저를 아예
신경도 쓰지 않고
무시하거나,
휙
네가 시르비아니?
아퀼레이아가에
그렇게 보석이
많이 난다며?
부담스러울 정도로
다가오며
잘 보이려 하거나.
어느 쪽도
거북해.
어쩌면
어머니의 영향도
있었던 것 같아요.
어머니께선 제가
황가에 관심을 갖는 걸
원하지 않으셨거든요.
그래서인지
저희 거처도
황도 외곽에 마련되어
있었어요.

아무튼
황도까지 올라와서도
친구 만들기에
실패한 저는
다시 영지로 돌아가자고
부모님을 조르기
시작했답니다.
황도의 분위기가
왠지 너무
싫었거든요.
아마
그때 즈음이었을
거예요.
제가 아시시를
만난 건.
이 아이가
네 사촌이란다,
시르비아.
그건 제 인생에
다시없을
첫 만남이었어요.

자바이칼
장미 정원에서 마주한
친애하는 나의
사촌 오라버니.
아시시
자바이칼.
작은아버지이신
에드워드 경의
영식이란다.
인사하렴.
아, 자바이칼
여백작의 남편으로
유명한 그…….
이때 아시시를
만나지 못했다면
전 아마 바로 영지로
돌아가고 말았을 거예요.
아시시….

그러면 지금
제 남편인 페르델도
만나지 못했겠죠?
그만큼
아시시의 존재는
저한테 참
중요했답니다.
아시시!
아시시,
나랑 놀아 줘!
그래.

아시시, 우리
술래잡기하자!
응.
아시시는
지금도 그렇지만
그때도 제 말을
아주 잘 들어주는
사촌 오라버니였답니다.
아시시랑
노는 거 좋아.
정말 즐거워.

아시시에게 갖는
애정은 무한대로
상승했고
아시시에
대해서라면
뭐든지 맹목적이
되었어요.
애초에 또래 친구를
간절히 원했었던
것도 있기에
잘 놀아 주고
나이대도 비슷한
아시시에게 더
집착했었던 것 같아요.
틈만 나면
자바이칼 저택에 놀러 가서
아시시한테
놀아 달라고 졸랐죠.
하지만 저는
작은아버지인
에드워드 경은 별로
좋아하지 않았어요.

음, 사실
무서워했다는 게
맞는 것 같아요.
이유는 잘 모르겠지만,
눈도 마주치지 못할
정도로 무서웠어요.
그런데 이상하죠?
아시시는
정말 좋았어요.
엄마, 아시시가
내 오빠 하면
안 돼요?
어머, 얘가
무슨 소리를.
정말로 아시시가
제 친오빠가
되어 줬으면 좋겠다고
어머니에게 졸랐다가
혼난 적도 있었죠.
아시시, 나중에 크면
나 아시시랑
결혼할 거야!
이런 말도
서슴없이 내뱉을
정도였으니까요.
아, 지금 생각해 보면
정말 웃음이 나오는
이야기들이네요.
할 수 있었던
행동이었죠.

아시시와 저는
항상 자바이칼 저택의
정원에서 놀았어요.
정원을 좋아하는
여백작이 만들었다는
커다란 정원에는
이름 모를
아름다운 꽃들이
잔뜩 있었는데…
아시시,
이 꽃은 뭐야?
그건
프리지아야.
프리지아?
응. 프리지아는
앞날을 축복한다는
뜻을 가지고 있어.
아시시는 제게
그 모든 꽃들의
이름을 알려 주었죠.
아시시는
꽃에 대해 이야기할 때
제일 눈이 반짝반짝
해지는구나.
사실 전 그전까진
꽃을 딱히 좋아하진
않았지만……
아시시의
생기 있는 모습이
너무 좋아서
계속 꽃에 대해
말해 달라고 조르다가
어느새 저도 모르게
푹 빠져 버렸답니다.

나중엔 아시시가
모르는 꽃으로
내 정원을 가득
채우고 싶어.
언제든
자바이칼 저택에 가면
아시시가 저를 반겨 주고,
아시시와 놀고…….
언제까지나
그런 나날이 지속될
것만 같았어요.
그런데 아시시와
놀기 시작한 지
삼 개월이 되었을 무렵,
지금 아시시는
저택에 없단다.
어느 날부터인가
아시시를 만나지
못하게 되었어요.
저번에 왔을 때는
검술 공부하고 있어서
못 만난다고 했는데.
그전에는
역사
공부였고….
어째서 올 때마다
아시시를 만날 수
없는 걸까?
하지만 무서운
작은아버지에게
아시시를 불러 달라
떼를 쓸 수는 없었

저 끊임없이 찾아가고,
그때마다 만나지
못한 채 돌아오고,
그런 상태로
이 주의 시간이 흐른
뒤에야 깨달았죠.
……그래.
작은아버지가
나랑 아시시가
만나는 걸 방해하고
있는 거야!
바보처럼
왜 그걸 여태
몰랐을까?
자바이칼 여백작과
사이가 좋지 않았던 어머니는
제가 아시시네 가는 일이
뜸해지니 좋아하셨지만…….
그래도 아시시가
무 보고 싶었던 저는
포기할 수 없었어요.
작은아버님,
아시시 오라버니는
집에 있나요?
안타깝게도
지금은 없단다.
나중에 다시 오렴.
일부러 매일
시간대도 다르게
해서 오는데,
어떻게 매번
아시시를 만날 수
없는 상황이
발생하는 거죠?
작은아버지께
따질 수는
없었어요.
작은아버지가
무섭기도 했지만
어쩐지 아시시에게
피해가 갈 것만 같아서
더 그랬어요.

그러다 보니 처음엔 막연히 보고 싶었던 게
나중엔 보지 않으면 안 될 것 같은 의무감마저 들었어요.
지금 아시시를 보지 못하면 영원히 못 볼 것만 같은걸.
고민 끝에 저는 아버지께 도움을 청했고,
함께 자바이칼 저택에 방문하게 되었어요.
그런데 이걸 어쩌지? 오늘은 시르비아와 놀아 줄 아시시가 없구나.
거짓말! 어떻게 그럴 수가 있죠?
저는 이 상황을 납득할 수가 없어요!

그래서
아버지와 작은아버지가
대화를 하러 간 사이 혼자
저택을 뒤지기 시작했어요.
내가
찾아낼 거야!
탁
탁
탁
자바이칼 저택이라면
웬만한 곳은 다 아니까.
찾을 수 있어!
멈
칫
아……!
결국
찾긴 찾았죠.
그런데…….
우리
아시시…….
설마, 저택에
갇혀 있었던
거야?

'도망가, 시르.'
어릴 때라 무슨 일인지는 몰랐지만,
아시시에게 좋지 않은 일이 있었다는 사실 하나만은 알 수 있었어요.
다시 아버지와 함께 찾아가도 순순히 만나게 해 주지 않겠지.
저의 무력함이 한탄스러웠어요.
어떻게 하면 아시시를 다시 만날 수 있을까?
오로지 그 생각만이 머릿속에 가득했죠.
그러자 그런 제가 가여우셨는지
어머니가 한 가지 소식을 귀띔해 주셨답니다.

그건 바로 어떤 소년이
자바이칼 저택에
일주일에 한 번씩
다녀간다는
소식이었어요.
엄마,
저 그 아이를
만나 보고
싶어요.
이쯤이면
예상하셨겠지만,
그 소년이 바로
페르델이었답니다.
네가
페르델이야?
응. 넌
이름이 뭐야?
내 이름은
시르비아야.

황제의
외동딸

수도에서 유명한 천재 소년이라길래 콧대가 높은 꼬마일 거라 생각했는데
막상 만나 보니 생각과는 전혀 달랐어요.
뭐, 당시의 제겐 아무래도 상관없는 일이었지만요.
날 도와줘. 아시시를 만나게 해 줘!
내가 그 부탁을 들어주면 나에게 무슨 이득이 생기는데?
다음에 네가 부탁하면 나도 도와줄게.
…….
사실 거절하려면 얼마든지 거절할 수 있었을 텐데……

무슨 생각인지
페르델은 제 말을
들어줬어요.
알았어.
도와줄게.
그렇게
페르델을 앞세워
자바이칼 저택으로
향했죠.
그리고
제가 그렇게 찾아가도
볼 수 없었던 아시시를
드디어 만날 수 있었어요.
아시시!
하지만…….
온몸이 상처
투성이잖아?!
아무리
검술 훈련을 심하게
했다고 해도 이럴 수는
없는데…….

아시시.
저는 그저
숨죽여 우는 것밖에
할 수 있는 게
없었답니다.
난 괜찮아,
시르.
시시에게 벌어진 일은
가 어떻게 할 수 있는
질의 것이 아니었어요.
가슴이 아파서
하염없이 눈물이
흘렀지만……
페르델도 저도
너무 어렸고
아무것도 바꿀
힘이 없었죠.

그래도 계속
다짐했어요.
무슨 짓을 해서든,
어떻게 해서든 아시시를
도와주겠다고 말이에요.
앞으로도 도와줘.
아시시를 만날 수
있도록.
계속 가도
바뀌는 건
없을 텐데.

알아. 그래도
갈 거야.
그럼 짧은 시간이라도
아시시가 마음을
놓을 수 있는 시간이
생길 테니까.
……알았어.
하지만 제 그런
다짐이 무색할 정도로
매번 아시시의 상처는
더 심해지기만 했어요.
제가 가서
치료를 한다고 해도
새로 생기는 상처들 때문에
좀처럼 아물지 않았죠.
온몸이
상처투성이였지만,
그보다도 시급했던 건
아시시의 마음에 난
상처였어요.

그 상처는 어떻게 해도
제가 아물게 할 수 없는
것들이었으니까요.

그래도 포기하지는 않았어요.
언젠가 아시시를 도와줄 수 있을 거라 굳게 믿었죠.
하지만 그런 날들도 오래 가지는 못했답니다.
아시시와 페르델이 황궁에 출입하면서
카이텔이라는 황자와 연이 있다는 건 알고 있었어요.
카이텔 황자는 제게도 사촌이긴 했지만, 그 당시에는 별다른 신경을 쓰지 않았는데…….
그로부터 얼마 후, 제가 생각지도 못한 사건이 터져 버렸답니다.
카이텔 황자가 죽었다는 소식이었어요.
고작 멀리서 두어 번 봤을 뿐인 저도 충격을 받았는데,
카이텔 황자와 알고 지냈던 아시시에게는 그 사실이 얼마나 큰 아픔으로 다가왔을까요.

제 어머니도
그 사건이
충격적이셨던지,
더 이상
형제간의 골육상쟁을
보고 싶지 않다며
따각
따각
그대로 영지에 돌아가
칩거할 것을
선언하셨습니다.
그렇게 어머니를 따라
영지로 돌아오고,
며칠이 지나자
아시시가 떠올랐죠.
아시시가 얼마나
큰 상심에
젖어 있을지……
아시시가 걱정돼서
혼자서라도
그 먼 길을 돌아가고
싶을 정도였어요.
그리고 문득,
누군가의 빈자리가
느껴지기 시작했어요.
지금 페르델은
뭐 하고 있을까?
일주일에 두세 번씩은
빠짐없이 마주하던
페르델.
그렇게 벌써 오 년
정도를 함께 지냈으니
빈자리가 확연히
느껴질 만했죠.

그전까진 페르델이
뭘 하건 눈곱만큼도
관심이 없었는데……
갑자기 막
궁금해지는 거예요.
페르델은
뭘 하고 있을까?
무슨 생각을
하고 있을까?
페르델도 나처럼
내가 막 시도 때도
없이 생각날까?
그래요.
아시시만 생각하면
걱정으로 미칠 것
같았는데
페르델을 떠올리면
보고 싶었어요.
페르델이
그리웠어요.
다시
만나고 싶어.
하지만 평화로운
전원생활에 길들여져
어영부영 삼 개월이라는
시간을 보냈죠.

그러던
어느 날,
……!
저 뒷모습은,
설마…….
시장에 나갔다가
돌아와 보니 영지에
손님이 와 있었어요.
페르델!!
생각지도 못했던
반가운 얼굴에
성큼
시르?
저는 세상을
다 가진 듯한 기쁨을
느꼈답니다.

페르델!
앞뒤 생각할
겨를도 없이 달려가
와락 안겼고……
페르델은
그런 저를 가만히
다독여 주었어요.
토닥
토닥
후에 듣기로는
아퀼레이아의 보석을
사러 왔다고 했지만,
그런 건 수도에서도
얼마든지 살 수
있잖아요?
페르델이 왜 온 건지는
바보라도
알 수 있었답니다.
어서 와요.
그때
느꼈어요.
더 이상
페르델을 예전처럼
대할 수 없을 것
같다는 사실을.

그게 어떤
감정이었는지는
아직도
잘 모르겠어요.
갑자기 웬
존댓말이야?
나보다
오빠잖아요.
그건
그런데…….
사랑이라고
말하기엔 조금
일렀던 것 같지만.
단지 그때는 그저
페르델도 저에게
아시시 못지않게 소중한
사람이 되어 버렸구나,
하고 생각했을
뿐이었죠.
싫어요?

아니……
조금
낯설어서.
페르델이
이렇게 귀여운
사람이었다니.
항상 절 도와주는
착한 소년이라고만
생각했었는데.

물론 크나큰
착각이었지만
말이에요.
하지만 그땐
페르델이 제게 약한 게
저를 좋아해서라는 걸
몰랐던 시절이라
더 짓궂게 굴었던
것 같아요.
……..
물론 오랜만에 본
페르델에게 조금쯤은
어리광을 부리고
싶기도 했어요.
그래도 계속
존댓말 할 거예요.
익숙해지세요.
네, 레이디.
제가 어찌
레이디의 명령을
거부하겠습니까?

그렇죠?
잘 아시네요.
제가 페르델을
좋아하고
사랑하게 된 것이.
그때부터였을
거예요.
시르비아.
아…….
참, 이건
비밀이에요.

뭐 하고
있었어?
……꽃이
예쁘게 피었길래
정원을 산책하고
있었지요.
페르델은
아직 그 사실을
모르거든요.
지금도
자기가 너무 좋아해서
제가 어쩔 수 없이 결혼한
거라고 생각하고 있죠.
뭐, 그편이
데리고 사는 데엔
더 수월하니
좋은 게
좋은 거라고
생각하려 해요.
나도 같이
산책해도 돼?
그래요,
그럼.
자, 제 이야기는
여기서
끝이랍니다.
파란만장한
어린 시절을 겪었지만
지금은 모두가 행복하니
잘된 거겠죠?

외전

# 봄비 내리던 날

황제의
외동딸

쏴아
쏴아아
비 온다.
그러게요.
비가 오네요.
밥도 먹었고
이제 산책하려고
했더니…….
페르델은?
안 가 봐도 돼?
저 비를 뚫고
포더르로 갈
용기는 없는데요.
아, 하긴
그렇겠다.
우산도 없이 갔다간
감기에 걸리겠네.

흐음, 이렇게 쏟아져서야… 오늘 일정을 수정해야 하나.
심각
흐뭇
왜 그렇게 봐?
고뇌하는 공주님이 귀여워서요.
어쩜 이렇게 매일 귀여울까.
뭐래.
황당

인상 쓰는 모습도
정말 귀여워.
공주님은
이제 여섯 살.
아직 자그마한
어린아이다.
나에게도
아이들이 있지만
남자아이와 여자아이는
그 느낌이 또 많이
다르단 말이지.
아빠~!
크흑, 우리
아들들을 떠올리니
또 눈물이…….
그러고 보니 어제,
처음으로
시르비아가 말했지.
끄응
아들들 키우다가
미쳐 버리겠어요.
시르…….

하, 우리 아들들은
사고 치느라
정신이 없는데,
우리 공주님은
대체 누구를 닮았기에
이리 예쁘고 차분하고
얌전한 걸까?
카이텔을 닮았는데도
마냥 닮지만은 않았다는 점이
볼 때마다 신비로워.
유전자의 신비야.
페르델,
나 뭐 하나
물어봐도 돼?
예, 물어보세요.
뭔가요?
페르델은
어쩌다가 시르를
만났어?
음? 대체
이 꼬마 숙녀께서
갑자기 왜 그런 것이
궁금하실까?
우리 아들들조차
별로 궁금해하지
않는데 말이야.
초롱초롱
호기심 가득한
눈동자가 너무나도
사랑스럽지만……
쉽게 넘어가
줄 수는 없지.
비밀입니다
뭐어?!

그런 게 어디 있어?!
여기 있죠.
어허, 아무리 공주님이라고 해도 제 인생에서 제일 어마어마한 사건을 그렇게 쉽게 말씀드릴 수는 없어요.
페르델, 미워!
허.
토라진 얼굴도 참으로 귀엽구나!
아, 이런 맛에 딸을 키우는 건가.
우리 아들놈들은 분명 엄마, 아빠의 로맨스 따위보다 오늘 저녁밥 메뉴에 더 관심이 많을 테지.
그동안 애들이 박살 낸 물건들만 해도 이미 천문학적인 금액인데…… 그 돈이 온전하게 남아 있었다면 수도에 저택을 하나 더 지어도 됐을 거야.
아아, 나도 딸 가지고 싶다. 시르비아를 닮은 딸! 얼마나 귀여울까.
궁금하시면 제 볼에 뽀뽀 한 번만 해 주세요.
그럼 말씀해 드릴게요.
뭐?!

싫으시면 말고요.
저야말로 싸게
넘겨 드리는 건데
그런 반응이라니요.
으음
와, 고민하는 것도
귀여워 죽겠네.
이래서 카이텔이
딸내미한테 꼼짝을
못 하게 된 건가?
나쁜 놈,
나도 못 가지는
딸을!
별다른
노력도 없
가지다니
……정말
뽀뽀 한 번이면
돼?
예? 네.
이리 와.
?!
쪼옥
진짜로?
아들놈들한테도
매일 받는 뽀뽀인데
뭔가 달라!
우와아!
딸이라 그런가?!
딸이라서?!

공주님한테 뽀뽀
처음 받아 보네요.
이거 생각보다 기분
엄청 좋은데요?
뭐래,
변태야?
아무튼 됐지?
빨리 얘기해 줘!
이크,
더 시간 끌면
안 되겠다.
음, 그러니까
시르를 처음 만났을
때 말이죠…….
끄덕
일곱 살,
뭔가에 질리기엔
아직 어린 나이지만
그 시절의 나는
이미 모든 것에
질려 있었다.
배우는 건 좋아했지만
더 이상 읽을 책도
별로 남아 있지 않았고,
모두가 내게 잘 대해 줬으며,
원하는 게 있으면
뭐든 이룰 수 있었다.
시시해지는 건
당연한
수순이었다고 할까.

아버지는 그런 나를 오만하다 여기어 또래 친구를 만들어 주려고 하셨지만
무시
결과는 좋지 않았고.
그런 와중에 아시시를 만나게 되었다.
내 또래지만, 나와는 전혀 다른 소년.
처음엔 그냥 흥미였다.
그리고는
저렇게 착해 빠진 놈
왜 아직도 수도에서
살고 있는지 궁금했
그다음엔 지켜 주고 싶었다.

아시시 말고도
또래는 많았지만
아시시만이
친구가 되었다.
그게 아시시의
특수한 상황
때문이었는지,
단순히 성격
때문인지는 아직도
잘 모르겠지만……
중요한 건
아시시를 만남으로써
나 자신이
변했다는 것이었다.

그리고 그때,
한 소녀가
내게 다가왔고
그게 바로
시르비아였다.

황제의
외동딸

그럼 시르를
먼저 만난 게
아니네?
그렇죠.
아시시는
시르와 제 관계에서
정말 중요한
존재거든요.
아시시가
없었다면
시르비아를 만나지도,
사랑하지도
못했을 테니까.
아시시의
비밀을 알게 되고
얼마 지나지
않았던 때.
그날도 도서관에
하루 종일 처박혀서
닥치는 대로 책을 읽으며
어찌할 수 없는 복잡한
마음을 억누르고 있었다.

그런 나를 찾아온
예쁘장한 아이.
날 도와줘.
아시시를
만나게 해 줘.
……….
그 소녀의 한마디로
순식간에 머리가
어지러워지고 말았다.
어쩌다가 알게 된
아시시의 비밀.
모른 척할 수도,
그렇다고 아는 척할
수도 없었다.
스스로 똑똑하다고
자부해 왔지만
그런 상황에선 어찌해야 할지
확신이 서지 않았다.
고민하고 망설이다가
만나러 가지 못한 채
시간이 흘렀고
나는 상당히
초조해져 있던
상태였다.

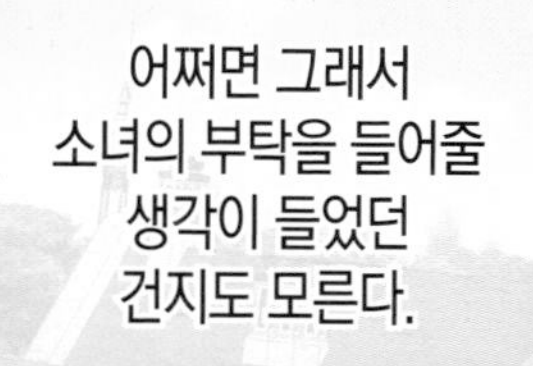
어쩌면 그래서
소녀의 부탁을 들어줄
생각이 들었던
건지도 모른다.
아시시를 보기 위해선
어떤 핑계라도
필요했으니까.

아시시…….
울지 마,
시르.
이 현실 앞에 무기력한 건
시르 역시 나와
마찬가지인데……
나는 저렇게
있는 그대로
대할 수가 없다.
이 일을 처음
알게 되었을 때
아무 말도 못 하고
도망치듯 나와
버렸으니까.

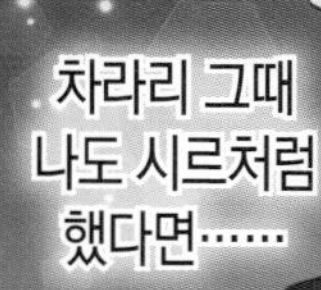
차라리 그때
나도 시르처럼
했다면……
아시시가
상처받지 않을 수
있었을까?

앞으로도 도와줘.
아시시를 만날 수
있도록.
계속 가도
바뀌는 건 없어.
네가 할 수 있는 건
아무것도 없다고.
꼬옥
알아, 나도.
내가 너무 어리고,
힘도 없고,
보잘것없다는
거…….
…….
몰라서 무모하게
구는 거라
생각했는데.
하지만
그렇다고
아무것도 하지 않을
수는 없잖아.

아…….
아무것도
바뀌지 않는다고
해도 좋아!
아시시를 만나서
위로해 주고 싶고
이야기하고 싶은걸.
그리고 내가
얼마나 좋아하는지
말해 주고 싶어.
내가 조금이라도
옆에서 그러고
있으면…….
누군가를
예쁘다고 느낀 건
그때가 처음이었다.

짧은 시간이라도
아시시가 마음
놓을 수 있는 시간이
생길 테니까.
어떻게든
도와줄 거야. 그게
내가 할 수 있는 게
아니라고 해도.
왜 이런
생각을……
나는 하지
못했던 걸까?
놀라웠고,
경이로웠다.
아무런 도움이
되지 않아도
괜찮아.
그 옆을 지켜 줄
수 있다면.

아시시가
외롭지 않게 도와줄 거야.
슬프지 않게, 울지 않게
도와줄 거야.
그렇게 말하는
소녀는,
나와는 전혀
다른 생물인 양
아름답게만 비쳤다.
아시시도 사실은
혼자 있고 싶지 않을 거야.
나도 그런걸? 혼자는
너무 외롭잖아.
지켜 주고
싶다고 생각했다.
그 눈동자를,
그 마음을.
그 누구도
깨뜨리지 못하게
하고 싶었다.
만약 그 마음이
깨져서 산산조각이
나 버리면
흩어진 파편이
내 가슴에 박혀
영원히 고통스럽게
할 것 같았기에.

그때부터였을까.
시르비아만이
내 눈에 들어온 건.
시선이 자연스레
시르를 향하기
시작했다.
나도 모르게.

반한 거야?
……음.
놀랐다고
하는 게 맞겠죠.
아마도.

마치 천에 색을 물들이듯 제가 시르에게 물들어 갔죠.
근데 그게 다야? 뭐 또 없어?
도대체 뭘 원하시는 겁니까.
로맨스 소설도 아니고… 파란만장한 연애사 같은 건 없거든요.
시르가 소중히 여기는 모든 것들이 제겐 미처 떠올리지도 못한 진리이자 빛이며, 이 세상을 살게 하는 원동력이었어요.
너무 심각한가? 웃기죠?
아니.
페르델이, 시르를 정말 사랑한다는 게 느껴져.

사랑합니다.
제 영혼을 바친걸요.
시르가 원한다면 전 뭐든 할 수 있습니다.
그러니 공주님도 이렇게 열렬히 사랑해 주는 남자를 만나셔야 해요.
물론 쉽지 않겠지만
됐거든.
아니면 우리 아들내미들은 어때요?
저 닮아서 아주 잘해 드릴 텐데.
필요 없어!
이제 여섯 살인 애한테 도대체 무슨 소리야?!
어?
비 그쳤다.

그러네요.
소나기가 맞았나 봐.
나 이제 갈래. 담에 봐!
아무튼 칼 같다니까.
뭐… 비도 그쳤으니 나도 포더르로 가 볼까.
돌이켜 보면……
어릴 적의 나는 처음부터 가진 게 많아서 도리어 소중한 것이 없었다.
소중하다는 감각조차 몰랐지.
그걸 가르쳐 준 것이 시르비아.
이 나라가 평화로워지면 그때 나랑 결혼해요.

카이텔이 황제가 되고
모든 것이 어지러웠을 때,
그렇게 말했었다.
오로지
이 나라에만
집중해 주세요.
내 손으로 이뤄 낸
것이지만—
시르가 있었기에
모두가 기적이라 말하는
정상화가 가능했다.
이 나라에 당신이
더 해 줄 것이 없게 되면,
그땐 물러나서
내 곁으로 돌아와요.
그땐 정말
날 위해 살아요.
그전까지는 이 나라에
당신을 양보할 테니.
……그래,
시르비아.
나, 힘내고
있어.
조만간
당신의 품에 온전히
돌아가기 위해.
약속할게,
시르.

잊지 않고
있다.
널 혼자
두지 않을게.
어디서나 항상
함께할게.
내가 널
버리게 되면
어떡해?
괜찮아,
그래도
상관없어.
내가 다시 널
찾을 거니까.
…….
좋아요,
페르델.
마치 봄날의
햇살처럼 따사로웠던
소녀의 미소와
그날의
약속을.

외전

# 하얀 나비의 서곡

황제의
외동딸

눈을 떴을 때
가장 먼저
보였던 것은 어둠.

시간조차 부재한 듯
사방에 가득한
고요함 속에서

눈을 떴다는
사실조차 알 수
없었고……

내가 무엇인지,
왜 이러고 있는지도 모른 채
한참 동안을 누워 있었다.

미동도 없이,

그대로 어둠 속에
파묻히고 싶었던 건지도
모르겠다.

이게 뭐지?
그것을 잡고 싶다고
생각한 순간 깨달았다.
나 자신이 움직일 수
있다는 것을.
폐허 속에
누워 있었다는
사실도,
내 주변이
처참하게 변해
있다는 사실도,
그리고
시간이 흐른다는
사실도.
너무 한꺼번에
많은 것들이
내 안에 흘러 들어와
혼란스러웠다.
……나비.

화
악
처음 보는 그것의 이름을
어찌 알고 있는지는
설명할 수 없지만…….
어딘가로
되돌아가는 나비의
날갯짓을 보고
문득 그런
생각을 했다.
나도 나비가
가는 곳으로
가고 싶어.
그래서 나왔다.
그 새카만 어둠에서.

그리고 그곳을 나와서
다시 만난 나비는……
칼날?
분명
나비였는데.
……!
화
악
희미하게 빛나는
칼날 조각들이
내 안으로 들어와
자리 잡았다.
원래부터 나와
하나였다는 듯.
벅찬 감각과 함께
자연스레
알 수 있었다.
조각들이 나를
그곳에서 꺼내기 위해
잠시 나비의 모습으로
나타났다는 것을.
……그리고.
잊지 마.
사라지려고
하지 마.
기억해 내야
해.
누군가의
여리고 가느다란
목소리와 함께
조각들에 담긴
기억이
흘러 들어왔다.

"미안하다.
너에게 이런 일을
하게 해서."
흐릿한
기억 속에 담긴
낮고 굵은 목소리.
내가 이 목소리를
알고 있다는 사실을
본능적으로 깨달았다.
그리고 내가
이 목소리를 찾고
있었다는 사실도.
처음으로
목적이 생겼다.
잃어버린 기억을
전부 찾고 싶다는
그런 바람.
그렇게 떠난
여행길에서,
나에게 오길 거부하는
또 다른 조각을
겨우 손에 넣고
알게 된 사실은…….

검? 내가
검이었다고?
그럼
그 목소리의 남자가
내 주인이었단
말인가?
그제야
조각을 찾는 진정한
의미를 깨달았다.
단순히 기억을
찾는 것이 아니고,
단순히 힘을 찾는 것
또한 아니었다.
산산이
흩어져 버린 나를
찾는 것이다.
내 조각들은
아주 넓게, 멀리,
그리고 자잘하게
흩어져 있었다.
여러 세상에 걸쳐
한 조각씩 흩뿌려진
나의 조각들.
생고생을 해서
찾는다고 해도
돌아오는 기억엔
한계가 있다.
아주 흐릿하고
희미한 기억
한 조각만이
돌아올 뿐.

그러던 어느 날,
흩어진 조각 하나가
처음으로
나를 불러냈다.
이리로 와.
조각의 주인이었던
어떤 여인의 시체와
조각을 쥔 채로
울고 있는 어린 소년.
조각은 자신이 섬기던
주인이 죽은 걸
슬퍼하고 있었고,

더불어
주인이 죽어가면서
지키려고 한 소년을
살리고 싶어 했다.
조각의 힘으로는
이룰 수 없는 일이라
본체인 나를
불러낸 건가.
딱히 그래야 할
이유는 없었지만
한순간의 흥미로
아이를 살렸다.

그리고 계약을 맺어
그 조각을 심장에
박아 넣었다.
언제라도
검을 원하면 손에
쥘 수 있도록.
계약의 증표다.
네 이름이 뭐지?
카이텔.
넌……
뭐라 부르면
되지?
글쎄.
이름도
없는 건가.
있다면 있겠지만
난 내 이름을
모르거든.

사실상
그것을 찾기 위한
여정이기도 했다.
잃어버린
나에 관한 모든 것을
알고자 하는.
드란스테.
드란스테라
부르지.
어린 소년이라
생각했는데, 지금 보니
왠지 소년처럼
느껴지지 않는군.
피식
그거 마음에
드는데?
그때는 상상도
하지 못했다.
그 소년과
이렇게 오래 인연을
이어오게 될 줄은.

황제의
외동딸

그리고 얼마간의
세월이 흘러……
카이텔에게
딸이 하나
생겼다.
안녕.
아직 안 잤네?
어? 뭐야.
넌 꼭
이런 시간에
오더라.

혹시 나
기다린 거야?
기다렸겠어?
툴툴대면서도
밀어내진 않는다.
아이가 태어난 순간부터
자라는 모습을 모두
지켜봐서 그런 걸까?
스스로도
의아할 정도의 애착을
느끼는 건…….
또 찾으러
다녀온 거야?
응.
많이
찾았어?
아니.
아무리 많은
조각을 찾아도 결국
이 아이 옆으로
돌아오게 된다.
온 세상을 통틀어
유일하게 나의 비밀을
알고 있는 소녀.
…….

카이텔과는
많이 다르다.
언젠가
네 몸을 다 찾으면
다시 완전한 검이
될 수 있을까?
아닐걸.
어째서
부러졌는지는
알 수 없지만
이건 확실히
알 수 있다.
내 검으로서의
생은 이미 끝난 거나
마찬가지니까.
자아를 가진,
특별한 힘이 깃든 검이
부서진 것에는 의미가
있었을 것이다.
짐작하건대,
어쩌면…… 스스로
부서지지 않았을까?
아마 다른 주인을
섬기고 싶지 않을 만큼
절실했던 거겠지.
전 주인에 대한
마음이.
한 번 부러진 검이
다시 되살아나는 건
제 소명을 다하기
위해서인데
내겐 더 이상
남은 소명이
없거든.

……….
그런가.
슬퍼?
글쎄.
이것을 슬프다고
말해야 할까.
사실은
잘 모르겠다.
슬프지는 않아.
이미 검으로서의
기억은 전부
잃어버렸던 것이니.
곤란한 건
새로 생긴 기억들이다.
자신이 어떤
존재인지도 모르건만,
어째서 다시 기억이 생기고
감정이라는 것들이
움트는 건지.
단지……

왜 아직도 내가 살아 있을 수 있는지가 궁금할 뿐이야.
살아서 나 만나려고?
고작 그런 이유로?
가장 근원적인 의문.
셀 수 없는 시간을 살아왔지만 나와 같은 존재는 본 적이 없기에.
이씨.
푸훗.
살아 있으면.
계속 이대로 살아 있으면 언젠가는 알게 될까?
내가 왜 그런 곳에서 눈을 뜨게 된 건지.

잊지 마.
사라지려고 하지 마.
가끔 이대로 모든 걸 끝내고 싶을 때,
그 목소리가 간간이 들려오곤 한다.
그럼 어떻게 해서든 찾아내야겠다는 생각이 다시 들었다.
그래, 그 결과가 어떻게 되든지.
꾸욱...
표정이 왜 그래?
……그냥.
그냥이라니. 그렇게 훤히 보이는 얼굴을 하고.

꼬옥

응?

나는 여기서 기다리고 있을게.
네가 어디를 헤매고 다니건, 나는 항상 여기 있을게.

이제껏
느껴 보지 못한,
다른 어떤 감정이
내 안에서
휘몰아친다.
이게 어떤 감정인지
설명할 길은 없지만……
그러니까
다시 돌아와.
네가 지금까지
그랬던 것처럼.
중요한 건, 이런 감정을
불러일으키는 존재는
눈앞에 있는 이 아이가
유일하다는 사실이겠지.
……그래.
꼭 다시
돌아올게.

외전

# 은방울꽃 야상곡

황제의
외동딸

일주일에 한 번,
자바이칼 저택에
가면
아시시는 항상
같은 방에서 나를
기다리고 있다.
안녕?
…안녕.
주변의 다른
또래들과는 달리
조용하고
말이 없는 아이.
그 때문에
처음엔 얘가 나를
싫어하나 싶었지만,
내가 하는 이야기를
주의 깊게 들어 주는
모습에 그건
아니라는 걸 알았다.
아시시는
그냥 모든 것이
조심스러운
것뿐이었다.
너도 검
배우는 거야?
응.
우리 형제들도
검 배우는데.

난 검 잡는 거

형제들은 죄다
검 성애자들이라

다들 난리지만.

그렇구나.

보통 이렇게 말하면
돌아오는 반응은 대체로
'이상하다'던데…….

아시시의
이런 점이
좋단 말이지.
차라리 아시시와
형제였다면
좋았을 텐데.


그런 생각도 가끔
할 정도로 나는
아시시를 좋아했다

그렇기에
아시시의 어머니가
누구인지 알았을 때
개의치 않으리라
다짐했다.

아시시의
배경이 어떻든,
내게는 하나밖에 없
소중한 친구였으니

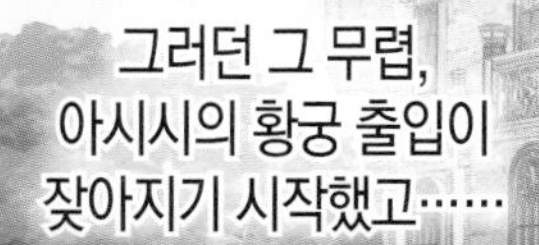
그러던 그 무렵,
아시시의 황궁 출입이
잦아지기 시작했고……
나는 일생일대에
가장 싫어한다고
만천하에 공언할 수 있는
놈을 만나게 된다.

페르델, 인사해.
카이텔 전하셔.
…….

나는 그때
아시시 못지않게
말이 없는 놈이
이 세상에 한 명 더
있다는 어마어마한
사실을 발견했다.

그건 정말
대단한 발견이었지만
아시시와는 달리 카이텔은
재수가 없었다.
…….
머리부터 발끝까지,
그냥 존재하는 것 자체가
재수 없었던 것이다.

하지만 그렇다고 둘이서만 놀게 할 순 없지!
넌 왜 왔냐?
아시시 보러!
여긴 내 궁인데.
윽…….
그래도 아시시가 여기 있잖아!
맘대로 해라.
휙
아니, 어째서 아시시는 저런 놈이 좋다고 매번 여기 와 있는 거지?
저놈보다 내가 100배는 더 재미있게 놀아 줄 수 있는데!
물론 자신은 없지만!
근데 둘이 뭐 하고 있었어?
…….
…….
……아.

따지고 보면 셋 다
또래 친구들과 놀아 봤던
기억이나 추억 따위는
눈을 씻고
아봐도 없는
간들이지.
카이텔은 뭐든 심드렁하고 아시시는 검밖에 모르며……
나도 책만 읽을 줄 알지 그 외엔 영…….
뭐 이런 애들만 모인 거지?
체스라도 둘래? 나 할 줄 아는데.
여기 그런 거 없어.
…….
그럼 우리 책이라도 읽을까?
끄덕
오, 이건 둘 다 거절하지 않네.
하… 이렇게 건전한 모임이 있다니.
어른들이 보면 놀라겠는걸.
너무 오래 앉아서 읽었나, 좀 뻐근하네.
……나도.
산책이라도 가자.
희사원까지는 아니라도 황궁 외곽 길도 좀 예쁘던데.
그러든가.

생각해 보면
카이텔이랑 아시시는
닮은 점이
꽤나 많았다.
형제라고 해도
믿을 정도로
말이지.
물론 아시시는
한없이 좋아하고
아끼는 친구인 반면
카이텔은
얄밉고 짜증 나는
황자에 불과하지만.
아, 은방울꽃.
예쁘다.
그러고 보니
아시시는 꽃을
좋아했지.
어색한
조합이긴 하지만
사실은 무척이나
어울린다고 생각했다.

틀림없이
행복해집니다…
그것이 은방울꽃의
꽃말이라는 걸
어렵지 않게
알 수 있었다.
아시시가
저렇게 소망하듯
작은 목소리로
읊조리지 않아도.
그래서였다.
내가
답지 않은 짓을
저지른 건.
파삭—
자! 틀림없이
행복해진다며?
하나쯤은 가지고
있으면 좋잖아.
…….

자, 페르델.
응? 나?
이러면 모두
전하도요.
틀림없이
행복해질 거야.
그치,
페르델?
그렇죠,
전하?
하하,
그런가.
…….
그래.

틀림없이
행복해집니다.
그것이 언제가
되더라도.
사각 사각
오늘은
빨리 왔네?
리아.
어?
응, 알현이
생각보다
일찍 끝나서.

리아는 뭐 하고 있었어?
어, 그게…….
비밀이야.
뭔데.
헤헤, 별거 아니야.
참, 아시시랑 같이 저녁 먹기로 했는데 슬슬 갈까?
내 수호 기사로 함께 온 아시시는
이곳에서 기사들의 수련을 봐 주며 나름 충실한 시간을 보내고 있는 것 같다.
그러고 보니 카이텔 폐하께서 도대체 언제 오냐고 독촉 서신을 보내셨던데.
아빠도 참. 바로 지난달에 다녀왔는데 왜 그러나 몰라.
카이텔도 여전하다.
소소하지만 평화로운 일상

이런 걸 행복이라
부르는 게 아닐까?
나에겐 세 명의
아버지가 있다.
나를 올바르게
이끌어 준 아버지와,
나를 지켜 준 아버지.
그리고
나와 함께 성장한
아버지가.
아시시~!

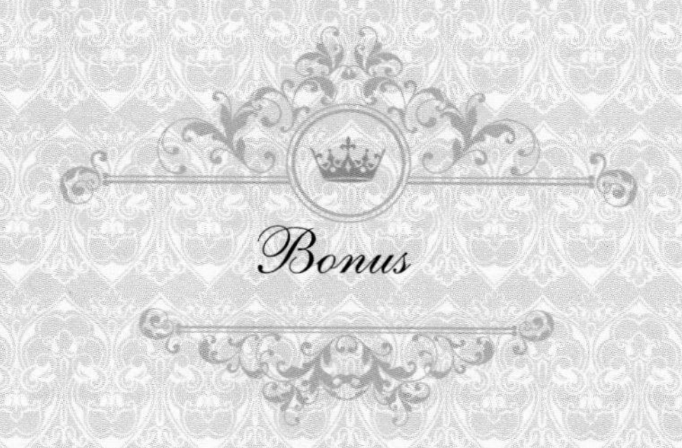
Bonus

결혼식,
그 후.
아빠,
그럼 우린 이만
가 볼게.
못마땅
……그래.
도착하면
인사만 하고
바로…
번득
잠깐
기다려라!!
흠칫

아시시,
네놈이 어째서
공주 일행에
끼어 있는 거지?!
음, 그건
저도 공주님의
일행이라…
그렇습니다.
뭐?!
이 배신자!
새삼스럽게 왜 그래?
아시시는
내 수호 기사니까
나랑 같이 가는 게
당연하잖아.
그런 말도
안 되는…….
아니 그럼,
그날 밤에
우리랑 술 마시며
괴로워했던 건 뭔데!
그때는
같이 가게 될 줄
몰라서….
이익..!
네놈의
수호 기사 자격을
박탈하겠다!
아, 진짜!
둘 다
그만 좀 해!
안 된다, 리아.
아빠도 데려가라!
자꾸 그러면
나 다신
안 온다?!

작가 후기

안녕하세요, 리노입니다.

드디어……! 황제의 외동딸이 14권으로 이렇게 끝을 맺게 되었습니다.

리아는 자신만의 행복을 찾아 새로운 길을 떠났는데요,
독자님들은 어떠셨나요?
아시시가 말하던 은방울꽃의 꽃말처럼
모두가 틀림없이 행복해지는 미래가 기다렸으면…… 하는 바람입니다.

긴 여정 동안 작업에 도움을 주신 스탭 분들,
갖은 만행에도 늘 상냥하게 대해 주신 담당자님들,
그리고 여기까지 함께해 주신 독자님들이 있었기에
무사히 달려올 수 있었습니다.

정말 감사합니다.
늘 건강하세요.

2023년 10월
리노

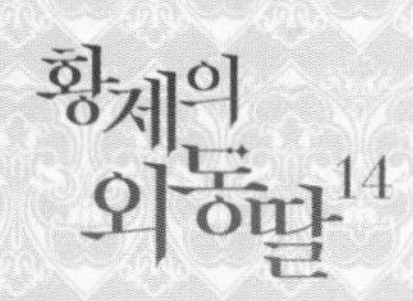

**초판 발행** 2023년 10월 31일

**만화** 리노
**원작** 윤슬

**펴낸이** 이왕호
**본부장** 곽혜은
**편집팀장** 장혜경
**책임편집** 구유희
**디자인** 크리에이티브그룹 디헌

**국제업무** 박진해, 김수지, 전은지, 유자영, 박이서, 남궁명일
**온라인 마케팅** 박선혜, 김경태, 박서희
**영업** 조은걸
**관리** 채영은
**물류** 최준혁

**펴낸곳** (주)디앤씨웹툰비즈
**출판등록** 2020년 12월 9일 제25100-2020-000093호
**주소** 서울시 구로구 디지털로26길 123 지플러스타워 1305~8 (08390)
**대표전화** (02)853-0360 **팩스** (02)853-0361
**전자우편** book@dncwebtoonbiz.com
**블로그** blog.naver.com/dncent

**ISBN** 979-11-6777-167-4 07810
979-11-91363-06-7 (set)